14.4

¡GATOS SALVAJES!
DEL MUNDO

LOS LEONES

Por Melissa Cole
Fotografías de Tom y Pat Leeson

BLACKBIRCH®
PRESS

THOMSON

GALE

San Diego • Detroit • New York • San Francisco • Cleveland • New Haven, Conn. • Waterville, Maine • London • Munich

LIBRARY OF CONGRESS CATALOGING-IN-PUBLICATION DATA

Cole, Melissa S.
 [Lions. Spanish]
 Los leones / by Melissa Cole.
  p. cm. — (Gatos salvajes del Mundo!)
Summary: Describes the physical characteristics, behavior, habitat, and endangered status of lions.
 ISBN 1-41030-003-X (hardback : alk. paper)
 1. Lions—Juvenile literature. [1. Lions. 2. Endangered species.] I. Title. II. Series: Cole, Melissa S. Wild Cats of the World!

QL737.C23 C64 2003
 599.757—dc21

Printed in China
10 9 8 7 6 5 4 3 2 1

Contenido

Introducción

Por miles de años, el león ha sido temido y admirado a la vez. Hace diez mil años, el territorio del león cubría vastas áreas desde Europa hasta la India. Incluso se encontraron fósiles de león en Norteamérica. Hoy en día, el león vive mayormente en las sabanas y desiertos de África.

Los humanos temen y admiran a los leones.

Un pequeño grupo de leones asiáticos vive en el Parque del Bosque Nacional de Gir en el noroeste de la India.

Los leones viven sobre todo en la sabana africana.

El cuerpo del león

Sólo los tigres son más grandes que los leones. Son grandes felinos que rugen y no ronronean. El león pesa entre 300 y 500 libras (136 y 227 kilos). El león macho es dos veces más grande que la hembra o leona. Mide hasta 10 pies (3 metros) de largo de la nariz a la cola.

La leona mide la mitad del tamaño del león.

Las piernas del león son fuertes y robustas y le permiten velocidades hasta de 35 millas (56 kilómetros) por hora. Sus garras en forma de gancho pueden agarrar y destrozar a su presa. Como la mayoría de los gatos, el león esconde sus garras para mantenerlas afiladas.

El león macho tiene una espesa melena de pelo oscura.

El pelo del león es amarillento para ayudarle a esconderse en la hierba alta de la sabana africana y así acechar a su presa sin ser notado. Su cola es larga con un penacho de pelo más oscuro en la punta. La cola le sirve para mantener el equilibrio al cazar a su presa. También se cree que los cachorros de león siguen a sus madres a través de la hierba alta mirando el movimiento de su cola. El león también usa la cola para expresarse. Un león molesto mueve la cola hacia atrás y adelante para mostrar agresividad. Un león curioso levanta la cola al saludar a otro león.

El león macho tiene una espesa melena que le cubre el cuello. Esta melena le hace verse más grande y amenazador. También le protege la cabeza y el cuello en luchas con otros leones.

El león asiático es más pequeño que el león africano. El macho tiene melena más corta y un largo pliegue de piel en el abdomen, que no tienen los leones africanos.

Rasgos especiales

El león sólo come carne. Sus dientes le ayudan a cazar y aprovechar su presa. Largos caninos perforan el cuello o médula espinal y matan a la presa instantáneamente. Dientes cortantes despedazan la piel, grasa y carne. Los molares al fondo de la mandíbula son suficientemente fuertes para destrozar huesos.

El león también tiene una herramienta importante —la lengua. Su lengua está cubierta de pequeñas protuberancias llamadas papilas. Éstas funcionan como ganchos para ayudarle a tomar agua. Las papilas también funcionan como peines. Los leones se lamen mutuamente para sacar sangre seca, así como barro, erizos e insectos. La lengua es tan áspera que puede sacar carne de los huesos.

Los caninos perforan el cuello o medula espinal de la presa.

El león usa su áspera lengua para limpiarse.

9

Gracias a su excelente visión, el león puede cazar de noche.

Como la mayoría de los gatos, el león tiene excelente visión. Durante el día, sus pupilas son sólo dos rayas. En la noche, las pupilas se dilatan para dejar pasar toda la luz posible. Dentro de cada ojo hay una capa de células que actúan como espejos que magnifican la luz. Así el león puede cazar en la oscuridad casi total.

El león usa su agudo sentido del olfato para encontrar comida, agua y otros leones. Su sentido del oído también es excepcional.

Vida social

El león es el felino más sociable. Vive en manadas. Estos grupos familiares pueden constar de unos pocos animales ¡o hasta 50! Casi toda la manada está formada por leonas que viven toda su vida con la manada en que nacieron. Generalmente, las manadas tienen uno o dos machos que no son parientes de las hembras, así como seis leonas de la misma familia y sus cachorros.

A diferencia de otros gatos, el león vive en manadas.

Los científicos han estudiado por qué estos animales viven en manadas. Un beneficio es el compartir la comida. En una manada, cada león tiene una tarea. Las leonas cazan y traen las presas a sus compañeros. Generalmente, algunas leonas se encargan de cuidar y amamantar a los cachorros que aún no pueden cazar. Los machos protegen a los cachorros de las leonas cazadoras y protegen el territorio de la manada de intrusos como hienas, chacales y otros leones. Los machos no suelen cazar. Son más lentos que las hembras debido a su mayor tamaño. Además, sus oscuras melenas les hacen más difícil esconderse para acechar a una presa.

El territorio de una manada oscila entre ocho y 160 millas cuadradas (12.9 a 257 kilómetros). El tamaño del territorio depende de la cantidad de comida en el área. Si hay suficiente comida, un territorio más pequeño es suficiente para una manada. Si hay menos comida disponible, los leones deben viajar más lejos para cazar y su territorio es más grande.

Los leones jóvenes son juguetones y amistosos.

Los leones en una manada se echan unos encima de otros.

Los leones machos demarcan su territorio orinando en matas de hierbas, árboles y rocas a lo largo de los límites. Otros leones huelen esas marcas y saben que están en territorio ajeno y que los pueden atacar. El fuerte rugido del león también es un elemento disuasorio. El rugido de un león se escucha hasta una distancia de cinco millas (8 kilómetros). Dentro de la manada, los leones son muy amistosos. Duermen apilados, muy juntos. Las hembras amamantan a sus cachorros y a los de otras leonas de la manada. Los leones juegan entre ellos. Usan sus ásperas lenguas para limpiarse unos a otros. Si hay suficiente comida, la vida en la manada es muy apacible.

Cazadores expertos

Los leones cazan muchos tipos de presas dependiendo de dónde viven. Prefieren animales grandes como ñus, cebras, antílopes, gacelas y jabalíes. Generalmente, las leonas son las principales cazadoras. Si hay muchas leonas en la manada, escogen presas grandes para que todos los leones puedan comer si la caza tiene éxito. Las leonas cazan en grupo. Acechan a su presa arrastrándose por el pasto. Su color les ayuda a confundirse con la hierba seca. A menos que el viento sople y lleve su olor a la presa, las leonas son casi indetectables. Al acercarse a sus posibles presas, forman un círculo alrededor de ellas. Una leona ataca, lo que hace que los asustados animales corran en dirección opuesta —directamente hacia las otras leonas.

Las leonas son las principales cazadoras de la manada.

Los leones embiscan a los animales más enfermos o más débiles. Derriban a la presa con sus poderosas garras o dientes. La matan de un mordisco en el cuello o la garganta. Algunos leones asfixian a su presa cerrándole la boca y la nariz con sus mandíbulas. Luego, las leonas arrastran la pieza cazada a su territorio.

Los leones matan a su presa de un mordisco en la garganta o el cuello.

Aunque los machos no toman parte en la caza, se alimentan antes que las hembras y los cachorros. Se llenan de comida cuando hay una presa fresca y así no tienen que comer en varios días. Los leones pueden comer más de 100 libras (45.3 kilos) de carne de una sola vez. Las leonas comen juntas cuando los machos terminan de comer. Los cachorros comen al final. A veces los machos sacan un pedazo de carne suficientemente grande para compartirlo con los hambrientos cachorros. Si hay suficiente carne, los cachorros la pasan bien.

Sin embargo, si el agua es escasa y la hierba se seca, los animales se alejan en busca de áreas para pastar. Sólo quedan búfalos peligrosos de cazar y presas pequeñas, como lagartijas, ratas y pájaros. Si la caza es pobre, los leones roban carne a leopardos y hienas.

Cuando la comida es muy escasa, los leones en grandes manadas cazan y se alimentan solos.

Apareamiento

Los cachorros hembras permanecen en la manada toda su vida, pero a los cachorros machos se les obliga a irse cuando tienen aproximadamente 18 meses. Los leones jóvenes permanecen juntos uno o dos años. En ese tiempo su pecho se ensancha, los músculos se fortalecen y la melena empieza a crecer. Los leones maduran totalmente entre los tres y cuatro años. Empiezan a buscar una manada que puedan conquistar ahuyentando a los machos dominantes. Si sólo hay un macho dominante en la manada, los jóvenes leones tienen una oportunidad.

Un macho dominante cuida a las hembras de la manada.

Los machos defienden su territorio ferozmente. Las peleas territoriales con frecuencia causan heridas serias en los leones. No es raro que cuando un macho nuevo asume el dominio de una manada, mate a todos los cachorros. Así borra todo rastro del macho previo. Cuando una leona pierde sus cachorros puede volver a aparearse. De esta manera, todos los cachorros de la manada son del nuevo macho dominante.

Los leones se pueden aparear en cualquier época del año, pero las leonas usualmente quedan preñadas sólo una vez cada periodo de 18 a 24 meses. Los machos se aparean con leonas de su manada. A veces, una hembra se aparea con un macho de otra manada si el macho logra acercarse sin ser atacado por el macho dominante. Cuando la hembra está lista para aparearse hace sonidos y orina en arbustos, piedras y árboles para que los machos noten su estado. La hembra y el macho permanecen juntos de cuatro a cinco días. Con frecuencia son muy cariñosos, juntan sus mejillas y se lamen mutuamente con sus ásperas lenguas.

Como los leones viven en manadas, los machos son de los pocos felinos que ayudan a criar a los cachorros. Hacen esto defendiendo el territorio y protegiendo a los cachorros de cualquier peligro.

Los leones defienden el territorio de la manada y protegen a los cachorros.

La crianza de los cachorros

Leonas limpiando a un cachorro.

La gestación en las leonas dura casi cuatro meses. Antes de dar a luz, la leona hace una madriguera entre arbustos, una cueva pequeña o bajo una roca. Generalmente, nacen de dos a cinco cachorros. Los recién nacidos pesan aproximadamente tres libras y son totalmente indefensos. Sus ojos apenas se abren a los 10 días de haber nacido. Los cachorros parecen pequeñas bolas de pelo con manchas.

La leona protege siempre a sus cachorros. Para que estén seguros los mueve de uno a otro escondite, porque hienas, chacales, leopardos, e incluso otros leones atacan a los cachorros indefensos.

A los dos meses, los cachorros ya pueden unirse a la manada. Al principio, los cachorritos se asustan de los otros leones. Los rugidos de los machos y los manazos juguetones de cachorros más grandes los hacen correr a la protección de su madre. Después de un tiempo, sin embargo, se acostumbran a vivir en la manada. Los cachorros pasan casi todo el tiempo jugando y durmiendo.

Los cachorros persiguen todo lo que se mueva: insectos, animales pequeños y colas de leones adultos. El juego les ayuda a desarrollar habilidades de caza que necesitarán en el futuro. La leona continúa amamantando a los cachorros hasta los siete meses, pero también comen carne al unirse a la manada. Si no hay suficiente carne, pueden pasar hambre. Cada año, la mitad de los cachorros muere por falta de comida.

Los nuevos cachorros no se separan de su madre.

Los cachorros aprenden a cazar observando a los adultos en acción.

El proceso de aprender a cazar empieza cuando los cachorros ya se pueden unir a una cacería verdadera. Incluso entonces, lo que hacen es sólo observar. Los cachorros practican cómo atacar a su presa cuando los adultos han terminado de comer.

La supervivencia es difícil para los machos jóvenes que han dejado la manada. Empiezan cazando animales pequeños y lentos, o roban carne de leopardos o hienas. Los hermanos permanecen juntos porque son cazadores más efectivos actuando en grupo.

El león y el hombre

Los leones machos son piezas de caza muy preciadas.

En los últimos 100 años, los humanos han cazado y matado miles de leones y otros animales salvajes. La mayoría de las veces los cazaron por deporte. Los humanos también matan animales que los leones comen. Los leones dependen de estos animales para sobrevivir, y cada vez hay menos.

Otro problema que afrontan los leones es la reducción de su territorio. A medida que la población aumenta, se necesita más tierra de cultivo. Esto significa menos territorio para los leones. En muchos países africanos se considera que los leones son una plaga. Cuando se salen inadvertidamente de las zonas protegidas, les disparan, les ponen trampas o los envenenan.

Muchos leones están en peligro de extinción por acciones humanas. Debemos luchar para proteger el hábitat natural de los leones para que puedan sobrevivir.

En la India, quedan aproximadamente 300 leones asiáticos en un santuario de 560 millas cuadradas (901 kilómetros cuadrados). Es difícil que tantos leones vivan en un área tan pequeña. A veces, los leones se salen del parque y atacan al ganado o a personas. El Gobierno Indio está creando un segundo santuario para darles a esos leones más espacio. Lamentablemente, a menos que otros países sigan el ejemplo de la India y creen santuarios para los leones, el 'Rey de los Animales', puede perder su reino muy pronto. Nos corresponde a nosotros ver que eso no suceda.

Datos sobre el león Africano

Nombre científico: Panthera Leo

Altura de hombros: 4 pies, los machos son 50% más grandes que las hembras

Longitud corporal: 8 a 12 pies de la nariz a la cola

Peso: 300-500 libras

Color: Manto amarillo dorado, los machos tienen melenas café oscuro

Madurez sexual: A los 18 meses

Gestación: 102-113 días

Camada: 2-5 por camada

Comida preferida: Cebra, búfalo, antílope, jirafa, ñu

Rango: Se le encuentra en la sabana abierta y las áreas desérticas del sur del Sahara, también hay una pequeña población en el noroeste de la India.

Glosario

Leona León hembra.

Manada Grupo grande de leones.

Melena El pelo espeso y largo en la cabeza y cuello del león macho.

Penacho Mata de pelo en la punta de la cola del león.

Presa Un animal que es cazado para ser la comida de otro.

Reserva Un lugar protegido donde los animales pueden vivir libremente.

Sabana Pradera plana con pasto y con po cos árboles o sin ellos.

Para más información

Libros

Bocknek, Jonathan. Lions (Untamed World). TX: Raintree Steck-Vaughn, 2001.

Jordan, Bill. Lions (Natural World). TX: Raintree Steck-Vaughn, 2000.

Robinson, Claire. Lions (In the Wind). IL: Heinemann Library, 1997.

Theodorou, Rod. Lion and Tiger (Discover the Difference). IL: Heinemann Library, 1997.

Dirección en la Internet

The Asiatic Lion Information Center—*http://www.wkweb4.cablenet.co.uk/alic/*

The Lion Research Center—*http://www.lionresearch.org/*

Índice